D0960020

Madame Poipoi
Monsieur Henri
Gino Marto
Rémi Lepoivre
Adrien Dubouchon
Mélani
Lano

Tom-Tom et Nana

Sublîîîmes!

D'après une oeuvre originale
de Jacqueline Cohen, Evelyne Reberg (scénarios),
Bernadette Després (dessins),
Catherine Viansson-Ponté (couleurs).

Tom-Tom et Nana : Subliiiimes !

ISBN : 2 7470 1494 0
Dépôt légal : octobre 2004

Imprimé en Pologne
Les aventures de Tom-Tom et Nana sont publiées
chaque mois dans *J'aime Lire*,
le journal pour aimer lire.
J'aime Lire, 3 rue Bayard, 75008 Paris

Coupera, coupera pas?

Au secours !! Lâche tes ciseaux !

Touche pas à mon frère !!

Noooon !!

AAAAAAARGH !!

?!?!

Mon Dieu !!

Elle m'a massacré !
Hein ??

Arrête, ça se voit à peine !
À peine ?!

Regardez !!!
?!?
Elle lui a coupé au moins 100 cheveux !

Laisse-moi faire, je vais tout arranger !
C'est ça ! Tu vas me couper la tête !?

Ah, ça suffit, ces histoires !!!

Marre d'avoir un yéti dans la famille !

Cette fois, coiffeur ! Point final !
Oh nooon ! Pitié !

Vas-y, fais plaisir à tes parents ! Tu seras choupinet !
Une jolie coupe comme la mienne...
J'ai horreur du coiffeur !
Ça sent mauvais d'abord !

Embarque-le, Adrien, et qu'on n'en parle plus !

Mon pauvre Tom-Tom ! Courage !

Tom-Tom et Nana : Subliiiimes !

DÉCOIFF'
Il est fou, ce coiffeur !! Un vrai danger public !
Qu'est-ce qu'on fait, papounet ?

Pff ! J'ai pas le temps d'en chercher un autre, moi !

Attends ! Je te fais une raie...

Je te colle un peu ces mèches...

Ta mère n'y verra que du feu !

Un peu plus tard...
???
Oh, déjà !
Merveilleux !
Quelle méta-morphose !

Dites donc, vous me prenez pour une idiote ?

Ne mens pas, Adrien ! Tu ne l'as pas amené chez le coiffeur !
C'est que...

Tu as cédé à ses caprices, comme d'habitude !

Toi, l'homme préhistorique, ne bouge pas d'ici !
Hé ! Hé !

Y a de l'ambiance, on dirait ! Qu'est-ce qui se passe ?

On me persécute à cause de mes cheveux !
Tu as vu sa tête de crétin !
Oh, mais Tante Roberte va arranger ça !

J'ai mon brevet de coiffure ! Tu te souviens Adrien ?
Euh... oui...

À nous deux, mon chéri !
Non, non et re-non !
Pas touche !

N'aie pas peur, je couperai juste un millimètre !
Jure-le !
Clic !
Clic !

Promis ! Si je coupe un cheveu de trop, vous m'arrêtez, d'accord ?
OUI !
On surveille !

On y va !... Admirez l'artiste !

Je coupote, léger, léger !
Clic !
Clic !

Zioup à gauche ! Zioup à droite !

Petit brossage du poil !

Miroir !
Comme ça le change !
C'est propre au moins !
On dirait un ange !
Bravo !
CLAP!
CLAP!

Eh bien, je vais vous avouer quelque chose !

Mon brevet, c'était "coiffure pour chiens" ! Hi hi !
Hein ?!!
Ah ?

C'est moi, ce caniche ?!

Je suis un chien, c'est ÇA ?!
Oh !

Eh ben, je vais mordre, vous allez voir !!!
Attends-moi !

Jamais content, ce garçon !
Trop gâté !
CLAC !
Pour une fois qu'il n'avait pas l'air d'un voyou !

Tom-Tom et Nana : Subliiiimes!

Coupe pit-bull, de chez Décoiff' hair !

GRRRRR!!

FACTURE 60 Euros

FIN

Scénario : Erwan Seznec, Jacqueline Cohen et Évelyne Reberg.

Trouvé n'est pas volé !

Pince-moi ! Tu vois ce que je vois ?

Oh là là ! Un porte-monnaie !

J'ose pas y toucher !
Il va pas te mordre !

Waouh !!! On est millionnaires !

Smack ! Smack ! Smack !
Mon cœur tombe dans mes chaussettes !

Tu... tu crois qu'on peut le garder ?
Bien sûr ! Trouvé, c'est pas volé !

À nous, les ordinateurs ! Les portables ! Les cassettes !
Arrête !!

T'es folle, on va nous voir !!

Tom-Tom et Nana : Subliiiiimes !

Tu te rappelleras où c'est ?
Pas de problème.

On va faire un repérage.
C'est quoi ?

Compte tes pas du banc jusqu'à la cachette !
À quatre pattes ?

Quelle débile !

J'ai compris... Un ! Deux ! Trois...

Sept pas ! Avec un S, comme Salade !
C'est bon, on file !

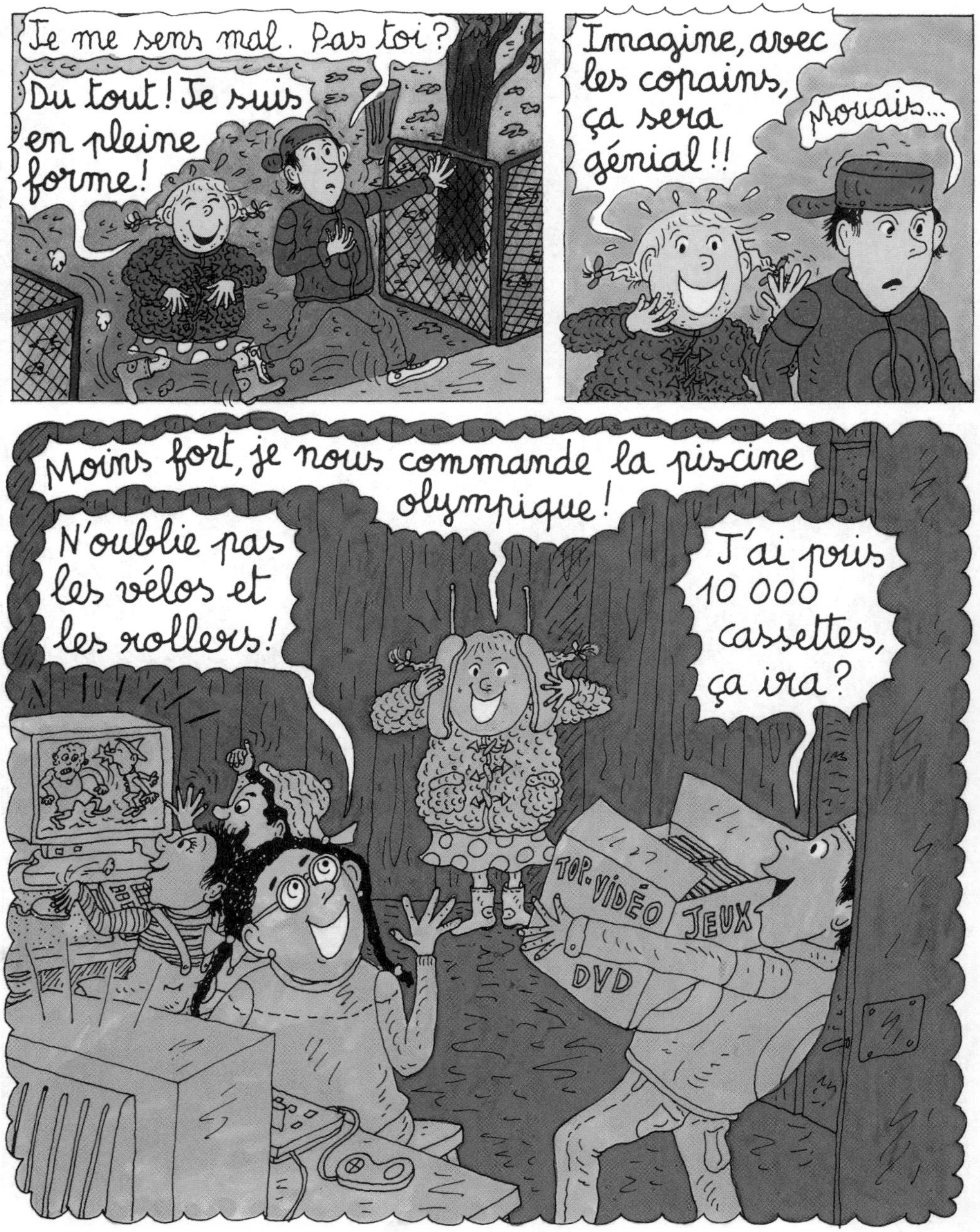

Moins fort, je nous commande la piscine olympique !

N'oublie pas les vélos et les rollers !

J'ai pris 10 000 cassettes, ça ira ?

TOP-VIDÉO

JEUX

DVD

C'est pas un peu du vol ?
Trouvé, c'est pas volé, j'te dis !
Hé !

Vous venez jouer ?
Ouais !
Pas moi, j'ai mal au ventre !

Trou-vé, c'est pas volé !
Trou-vé, c'est pas volé...

Trou-vé...

Quoi ?!?
Tu l'as trouvé ?
???

Mon porte-monnaie ?
Vert ? Plein de billets ?
Mais oui ! C'est ça ! Excactement !

C'est un miracle !
Vite, donne-le !

On... on l'a enterré... au square !
Vous êtes fous !

On avait peur de se faire attaquer par des voyous !
Bravo ! Tu penses à tout !

C'est par là ! Suffit de compter les pas !

... quatre ! Cinq ! Six ... Comme Saucisse ! Et voilà !
???

Je sens quelque chose...

C'était peut-être Neuf, comme Nouille ?

Une heure après...
?!?

Dites donc, à quoi vous jouez ?
On... on a planté un porte-monnaie !

Ha, ha ! Plantage de porte-monnaie ?!

100 euros d'amende !
100 €
Hé !

On creuse, on creuse ?...

Voyons, fallait m'appeler !

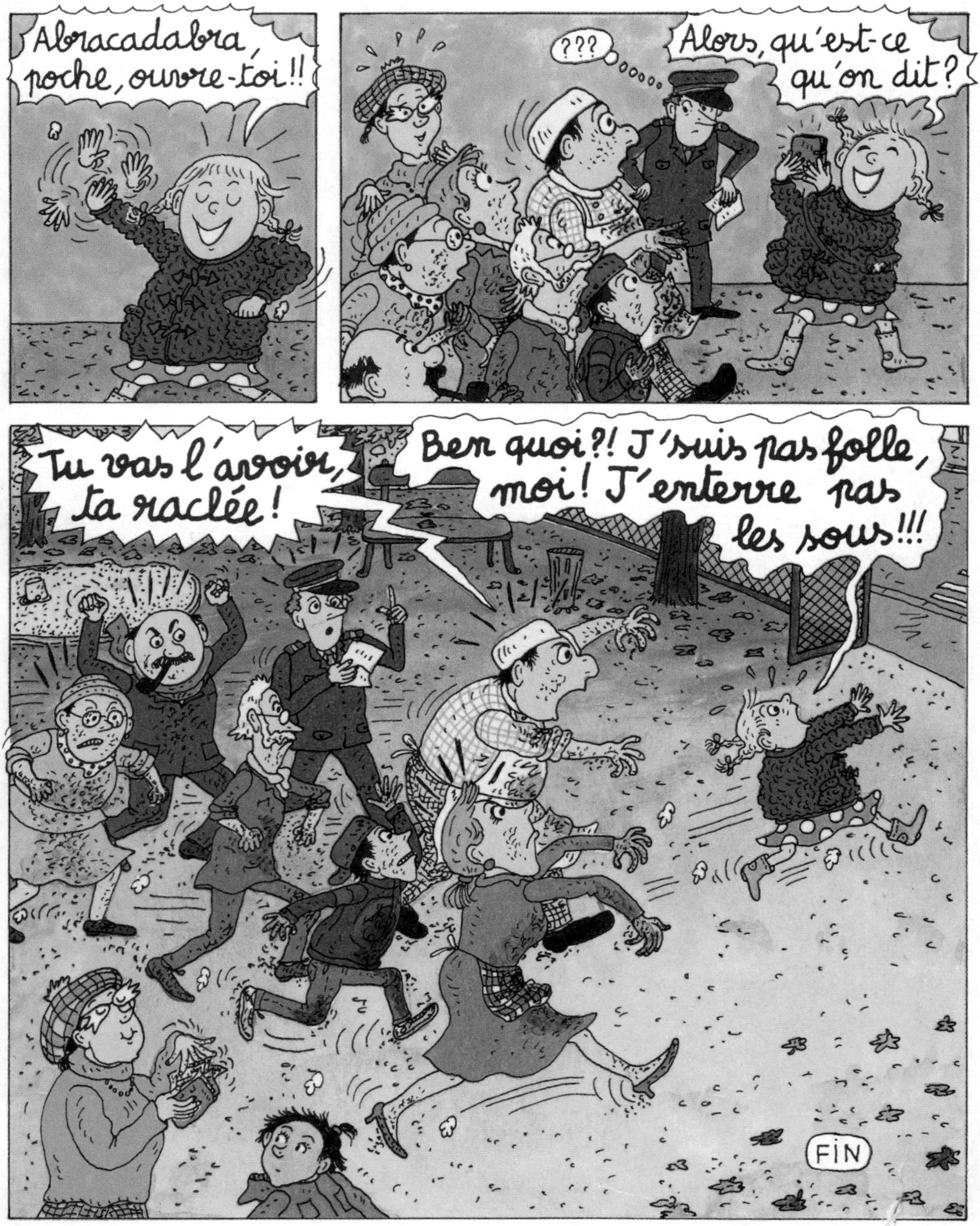

Tu vas l'avoir, ta raclée !

Ben quoi ?! J'suis pas folle, moi ! J'enterre pas les sous !!!

FIN

Scénario : Jacqueline Cohen et Évelyne Reberg.

Dix partout !

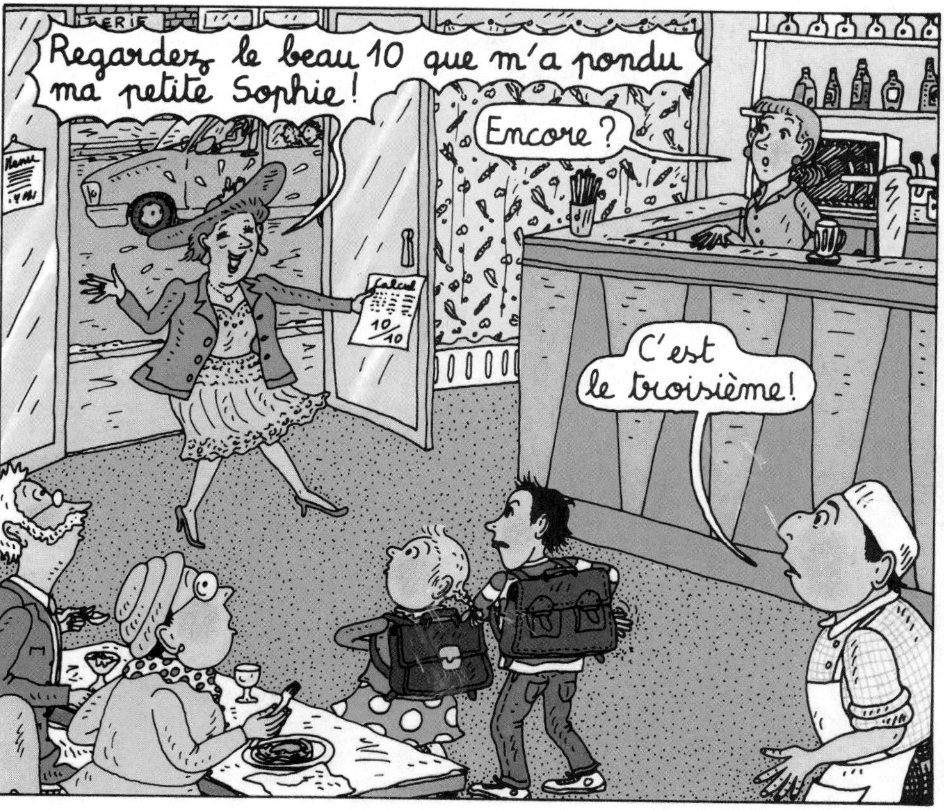

Regardez le beau 10 que m'a pondu ma petite Sophie !

Encore ?

C'est le troisième !

Eh oui ! À parents intelligents, enfants intelligents !
Bien sûr !

Je cours montrer ça au papa !
10/10

Salut la compagnie !
Elle m'énerve, celle-là !

Et toi, combien tu as eu ?
Moi ?

Ben oui, toi ! Pas tes chaussures !
Hé, on va être en retard !

Avoue que tu as eu zéro ! Avoue !
Aïe !

Même pas vrai ! J'ai eu 2 !

2 ! Vous avez entendu ?
2 !!!

Tom-Tom ! Ce serait gentil d'offrir un beau 10 à ton papa !
Et à ta maman !
Un 10 ! Un seul !

J'en ai maaaarre !

Si ça continue, je vous ramènerai des moins 15 !!

Pff ! Les 10, c'est nul ! Y a que les idiotes comme Sophie pour courir après !
Pauvre fille, va !

Regarde-la ! Elle va encore en avoir un, cet aprèm', en dictée !

Hep ! J'ai une idée...

Pourvu que ça marche !

Sophie ! Sophie !

Tom-Tom et Nana : Subliiiiimes !

Pas grave, je le remplis de cailloux !

Arrête ! Tu vas déchirer mes cahiers !

Lâche ça tout de suite !
Bon, bon...

Aïe-aïe-ouille !
PAF !
PLOSTCH !

Espèce de...
Misère !

Oh pardon, ma So-so ! Ma Fi-fi !

Tom-Tom et Nana : Subliiiiimes !

Et la dictée ? On devait faire une dictée !!
?!
C'est pas juste !!!
Pff !

Vous aviez promis une dictée archi-difficile !
Ça ne va pas, Tom-Tom ?

Tu n'aurais pas la fièvre ?

Une dictée par pitié !!

Cesse de faire le pitre ou je te mets un zéro !!

Après l'école...
Alors, ce 10 ?
Hé, hé... Tu vas voir !

Ça y est, j'en ai eu deux !
?
?

Deux quoi ?

Deux 10, pardi !
Sans blague ! Comme Sophie ?

Sophie ? Pff ! Elle a eu un 5 et un 6 !
C'est pas vrai !
Montre-nous ça !

Vous y tenez ?
Bien sûr !

Tom-Tom et Nana : Subliiiimes !

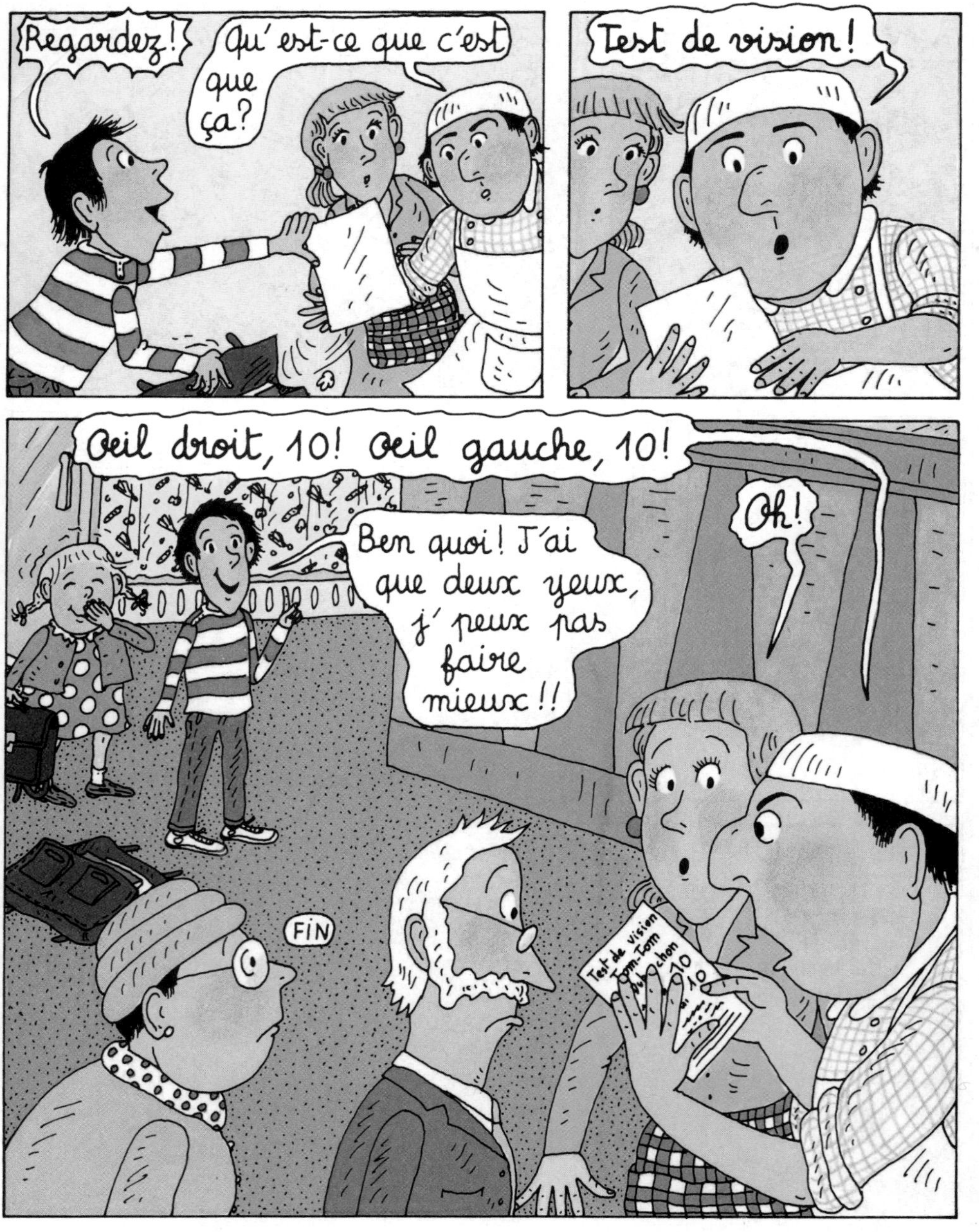

Oeil droit, 10 ! Oeil gauche, 10 !

Oh !

Ben quoi ! J'ai que deux yeux, j'peux pas faire mieux !!

FIN

Scénario : Jacqueline Cohen et Évelyne Reberg.

Tout, mais pas elle !

Les enfants, pas question de sortir !!

Tante Roberte arrive d'une minute à l'autre !

Hein ?!!

Quel dommage ! On peut pas rester !
On a un truc hyper-important !
Ah bon ?

On... on est invités !
Encore !!!
À un anniversaire !

Il y a eu celui de Rémi, Sophie, Kamel, Fatiah, Simon...
Ben oui...

On est des spécialistes !
On les fait tous !

On file, on va être en retard !

Et Tante Roberte, alors ?
Faites-lui des gros poutous pour nous !

Ouh là là ! Le big mensonge !
T'exagères ! On va vraiment à un anniversaire !

Allez, rigole, on va s'éclater !
Le Palais du Jouet
FÊTE SON ANNIVERSAIRE
Concours, jeux, cadeaux à gogo !

Sans la vieille tata faisons la fiesta !
Tais-toi !

On risque de tomber sur elle !

Qu'est-ce que je disais...
???

Clap clop, clap clop...
T'entends ? C'est son pas !
Viens !

clap clop, clap clop, ...
Ne regarde pas ! Tourne-toi !

Clap clop, clap clop, clap clop, clap clop, clap...

Sauvés !

T'es sûr que c'était elle ?
C'était la tour Eiffel, peut-être ?!

Ça va, la voie est libre !

On fonce !
LE PALAIS DU JOUET
Le Palais du Jouet
FÊTE SON ANNIVERSAIRE
Concours, jeux, cadeaux à gogo !

Ouf ! Ici, on est à l'abri !

Vite, au rayon vidéo !
VIDÉO
UNE VIDÉO GAGNÉE POUR
PROMO
Minute, je jette un coup d'oeil !
Une barbe... pour 3 ACHATS

On sait jamais, elle nous a peut-être repérés...
3 ACHATS

Oh !!! On peut jouer à Terreur Suprême !
PROMOTION
UNE VIDÉO GAGNÉE POUR
Une barbette pour 3 ACHATS

ALLLeeerte !!!

J'ai vu son pied ! Elle entre !
C'est pas vrai !!!

Fichons le camp !!!
Pas par là, c'est les toilettes !
GAGNEZ !
DES PRIX ANNIVERSAIRE

Par là !
SUPER OCCASIONS EXCEPTIONNELLES
ENTRÉE INTERDITE AUX CLIENTS

Cachons-nous !
MADE IN CHINA
BIG MONKEYS

Vas-y, plonge !
BIG MONKEYS

Pousse ta jambe !
Tu m'écrases le nez !
MADE IN CHINA
BIG MONKEYS

Aïe ! J'ai des crampes !
Chut, un peu de patience !

Dans 1 heure ou 2, elle sera repartie !

Mais 1/2 heure après...
Je suis sûre qu'ils sont ici ! Ils n'ont pas pu s'envoler !

Ça y est, je les ai trouvés !
On est cuits !

Allez, hop ! On embarque le paquet !

Tenez ! Les voilà, vos singes !
BLONG !

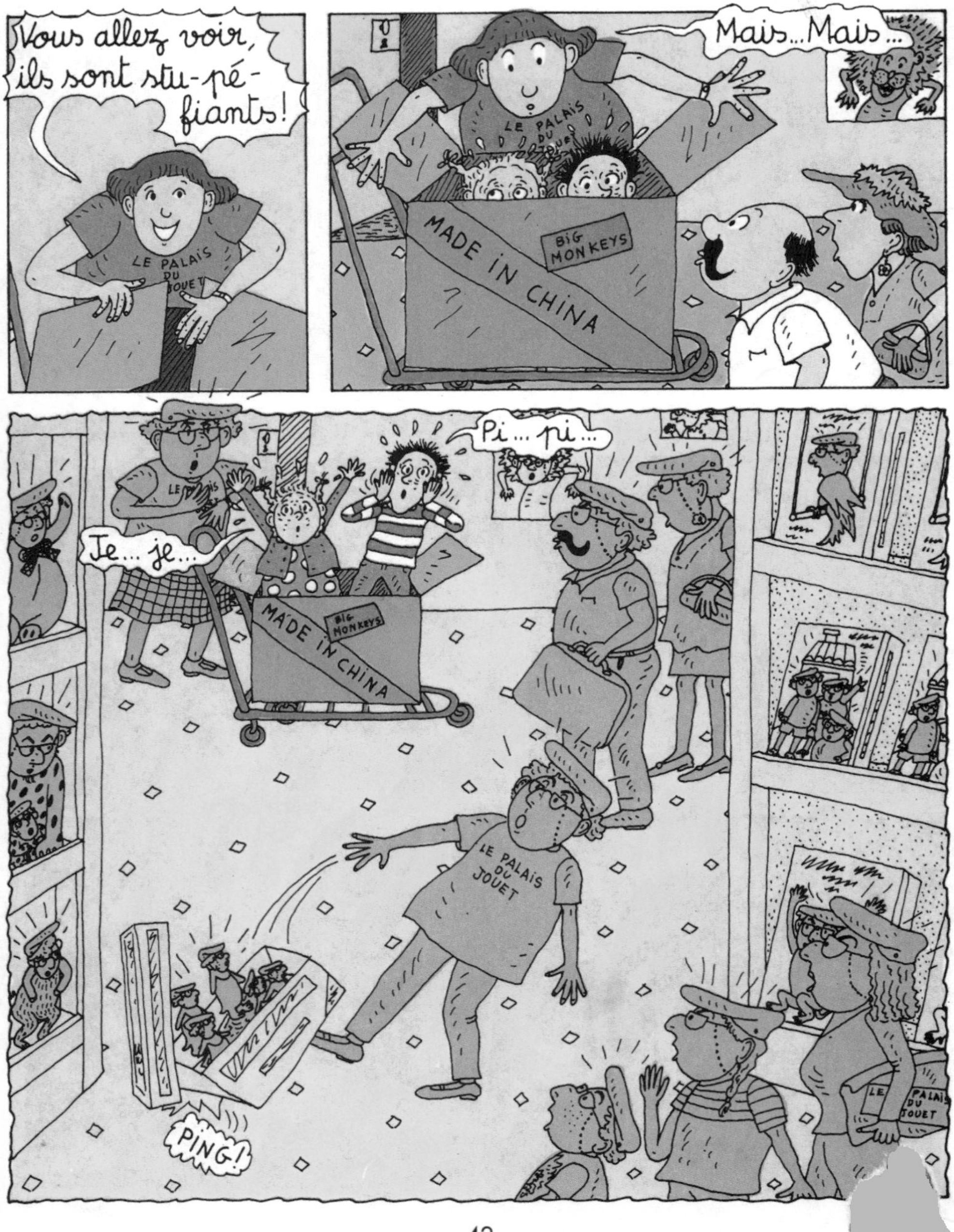

Pi... pi...

Je... je...

MADE IN CHINA

BIG MONKEYS

LE PALAIS DU JOUET

PING !

LE PALAIS DU JOUET

Pitié, Tante Roberte !
Je me rends !
MADE IN CHINA
BIG MONKEYS
PALAIS DU JOUET
LE PALAIS DU JOUET

Qu'est-ce que vous fichiez là-dedans ?!

On cherchait... euh...
Rien du tout !

J'veux plus jamais vous voir ici !
LE PALAIS DU JOUET

Déguerpissez !

Tom-Tom et Nana : Subliiiimes !

Scénario : Jacqueline Cohen et Évelyne Reberg.

Lâche-nous les baskets!

Mes baskets sont en rodage, vous savez bien !
Je les habitue doucement à mes pieds !
C'est pas vrai !
Tu nous bassines, avec tes baskets !
Trop cool, mes Champion's !
T'as vu, Papounet, ces semelles à picots ?
Aaaargh !!
Arrête ce cirque et va chercher le pain !!
Aïe ! Tu me les salis !
FARINE

Attends !
Quoi ?

J'en ai pour une heure à ôter cette farine !

Je vais les balancer, moi, tes godasses de feignasse !
Crie pas comme ça, tu me crispes les orteils !

Après, mes Champion's vont se déformer !

Et le pain ?!!
Laisse tomber, Adrien, j'y vais !

Le soir...
Vues d'en bas, elles sont encore plus classe !

Tu vas dormir avec ?
Bien sûr !

Et puis non ! J'ai peur de les rayer !

Je peux les essayer ?
Les deux ?!?

S'il te plaît !
T'es pas folle !

Tu oserais fourrer tes pieds sales dans mes Champion's ?

Juste une minute ! Pour voir !
Pas question !
MONOPOLY

Je peux même pas les toucher ?
Bas les pattes !

Tu peux les renifler, c'est tout !
Arrête !!

Et pour la nuit, sécurité renforcée !

Hé ! Hé ! Je mets l'antivol !

Bonne nuit, Champion's !
Smack ! Smack !

Bonne nuit, pantouflettes !

Rrrr... rrrr... rrrr... rrrr...
Mmm... je me méfie !

Des baskets en caleçon... Pourquoi pas ?

Cachette garantie !

Même James Bond les trouverait pas !
Rrrr... rrrr...
Tom-Tom et Nana

Mais le lendemain...
Au voleur ! Au secours !

Elles ont disparu !!!
Qui ? Quoi ? Comment ?

Je les avais couchées là ! Dans un carton !
Couché quoi ?

Enfin ! Tu comprends rien ! Mes Champion's !
Le carton... misère !!

Je l'ai porté aux Fripes du coeur, ce matin !
Hein ?!?

J'en ai ma-a-arre !!
Hou là là !

Ma mère me déteste ! Mon père me déteste !

Écoute...
Tout ce que j'ai de plus cher au monde, vous me l'enlevez !!

Mes Champion's ! Bou-hou-hou !
C'est malin de les avoir mises avec de vieilles fringues !

Je veux qu'on les récupère !
Malheur ! Il devient fou !

Bon, on y va !
Allez, et plus vite que ça !

Si quelqu'un les a prises, je le tue !

Et les pauvres, tu y penses ?
Fripes du Coeur
Les pauvres, je m'en fiche !

Tom-Tom et Nana : Subliiiiimes !

Euh... Ce matin, j'ai apporté...

... Des Champion's ! Archi-neuves !!

Tom-Tom et Nana : Subliiiiimes !

Souris ! Tu seras dans le journal !

Fripes du Cœur

Mon fils ! Prix de bonté !!!

ceintures

Pantalons recousus

SERVEZ vous !

ICI TOUT EST gratuit

Bravo !

Ah ! Le veinard !

GRANDE JOURNÉE DE LA GÉNÉROSITÉ

PRIX DE BONTÉ

FIN

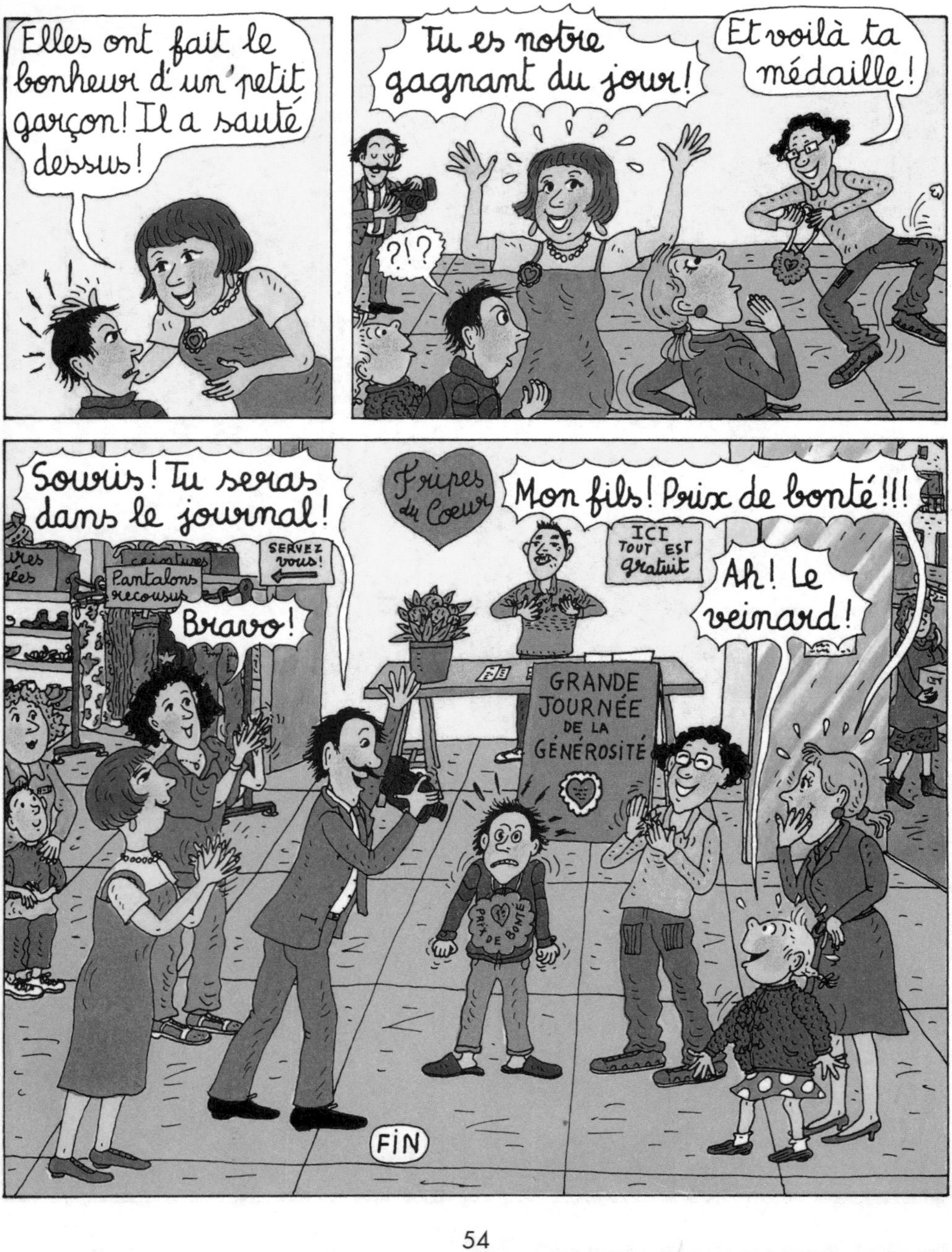

Scénario : Jacqueline Cohen et Évelyne Reberg.

Six mots, sept fautes

Descends tout de suite, je vais le chercher !

C'est la dernière fois, compris ? J'ai deux cents verres à ranger, moi !

Allez, aidez-moi !

Ho Hisse !
Quel poids lourd ce papou !
Pas de remarque, s'il te plaît !

Et voilà !

Ouf !
Buvez Pétibulle
Génial !
Méga top !

Tiens-le bien, hein ?
Buvez Pétibulle
Vouiiii !

Maintenant, allez jouer ailleurs !
Buvez Pétibulle

Donne ! Tu vas encore le lâcher !
Pas question !

Tu l'auras pas !
Buvez Pétibulle

Hooo !!
Buvez Pétibulle
PLOF !
PAF !

Cette fois, ça va barder !!
Buvez Pétibulle

Vous l'aurez voulu !
Non ! Non ! Pitié ! Aïe !

Allez, ouste !
Buvez Pétibulle

Vous sortirez quand vous serez calmés !
Ça y est ! On est calmés !
Clic ! Clac !

J'ai envie de faire pipi !
Pétibulle
Moi aussi !
PING!
PANG!
PING!

tibulle
Ma parole !
Il est parti !

C'est interdit de séquestrer les enfants !
Buve
Pétib

On va appeler Police Secours !
S.O.S. enfants battus !
Pétibul

Je vais alerter tout le quartier !
Gare à la prison !
Buvez Pétibulle

Mme Kellmer ! Hou hou !

À l'aide ! On est kidnappés !
Hi, hi !
Hi, hi ! Je vais chercher Spiderman pour vous délivrer !
Hi, hi !

Elle nous croit pas !
Buvez Pétibulle

Tom-Tom et Nana : Subliiiiimes !

* En anglais, cela veut dire : « Allons-y ! Vite ! »

A LA BONNE FOU
Pardon, Queen Elisabeth ! Moi pas recommencer !

FOURCHETTE
Mes chéris ! Revenez !
VRRR...

BON
Bye bye ! On va en Angleterre ! Pour toujours !
VRRR...

Hé ! Quelqu'un l'a trouvé notre message !

Qui, la reine ?
Ton maître, monsieur Tabouret !

Il a l'air furieux !
Oh la criiise !

Qu'est-ce qu'il va prendre papounet !
Bien fait pour lui !

C'est une honte monsieur Dubouchon !
Ça pète des flammes !

C'est intolérable !

Vous pourriez vous en occuper quand même !
Ils arrivent !
Clic... Clic !
Ben... Oui... Mais...

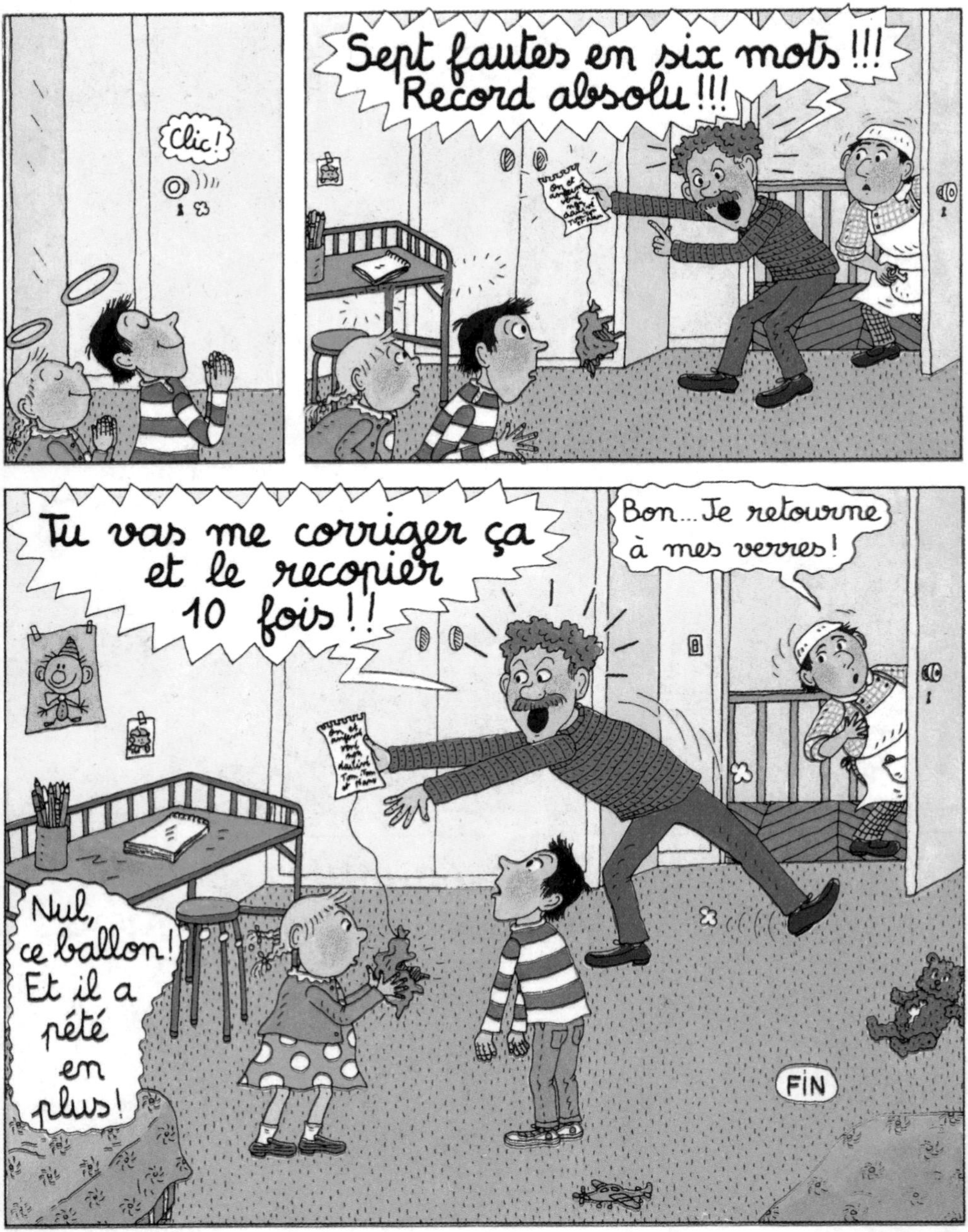

Tu vas me corriger ça et le recopier 10 fois !!

Bon... Je retourne à mes verres !

Nul, ce ballon ! Et il a pété en plus !

FIN

Scénario : Laurence Gillot, Jacqueline Cohen et Évelyne Reberg.

Bizarre Buzzor !

A LA BONNE FOURCHET

MENU

Hé, Sophie ! Où tu vas ?

À un casting à la télé !

Wahou, quelle chance ! La télé !

J'ai la trouille, venez avec moi !
Ouais !

Vous pourriez demander la permission !
Ben...
Euh...

Mon Papounet en sucre...
...Dis oui ! On sera gentils pendant des siècles et des siècles !

Ça va, allez-y !

Alors, c'est quoi ton casting ?
Une pub ! Pour... Je ne sais pas trop, Buzzor, je crois !

Buzzor... Ça sent le futur ! Le truc intersidéral ! T'aurais dû t'habiller en spationaute !
Tu... tu crois ?

En spationaute ?

Arrête, tu la stresses !
STUDIO FILMAX

Vite ! On est en retard !
STUDIO FILMAX

Place ! Place ! Laissez passer la star !
STUDIO FILMAX
Hé !
Tom-Tom !
Oh !

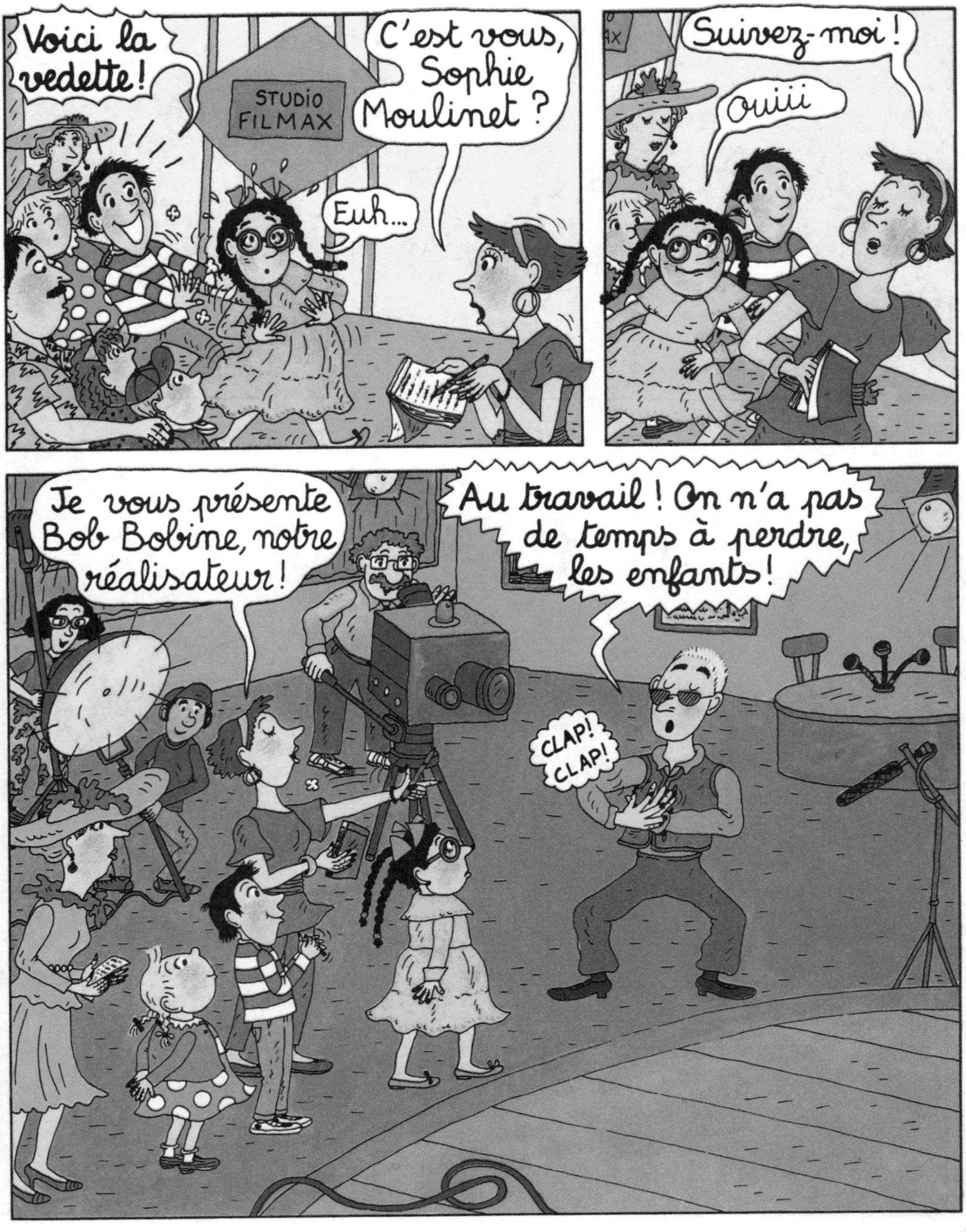

Je vous présente Bob Bobine, notre réalisateur !

Au travail ! On n'a pas de temps à perdre, les enfants !

CLAP! CLAP!

Il y a une erreur ! Les petits nous accompagnent seulement.
Aucune importance ! Approchez-tous !
Oh oui ! Venez ! Toute seule, je n'y arriverai pas !

Qu'est-ce qu'on doit faire ?
Vous marchez à quatre pattes !

On tourne !
Hé, hé ! C'est bien ce que je pensais !

En arrière !
On est des extraterrestres, des buzzoriens féroces !

STOOOOP !
OH !
PAF !

Bravo ma Sophie !
Hum...
CLAP ! CLAP !

Maintenant... Prenez un air effrayant !

Je vais vous montrer !

Arglll ! Je suis une terreur, moi ! Un exterminateur...

Oh !

Oooooooooh !
CRAAAC !

Pa... pa... pardon !

Ma robe ! Tu vas m' le payer !!!

Formidable ! Quelle colère !

Tu peux me refaire ton cri, là ?
Euh... Ben...
Fais quelque chose ! Aide-la !

Idée !

Sophiiie ! En mini jupe, t'es moins tarte qu'avec ta mocheté de robe !
GRRRRR !!!

Je l'engage !

Il est vache, quand même, le Bob Bobine !
On aurait pu regarder le tournage !

Bah ! Je suis contente pour Sophie !
Oui ! Et elle nous racontera tout !

Mais le jour suivant...
Comment ça, tu ne veux pas nous raconter ?
Non, non...

Et toute la semaine...
Mais pourquoi tu ne veux rien dire ?
Pour rien... Pour rien...

Enfin, un matin...
Pourquoi tu fais cette tête ?
De... demain je passe à la télévision...

Vite ! Allumez le poste ! Ma fiiille à moi va passer à la télé !!!
MENU

Ouh ! Ouh !
Ça commence ! La voilà !

Ouh ! Ouh ! Revoilà les poux !

Buzzz... Buzzz...
BUZZOR
Aaargh...

Avec Buzzor... ils sont tous morts !
BUZZOR
Je vais mourir de honte !

Tom-Tom et Nana : Subliiiimes !

♪ Ouh ! ♫ Ouh ! ♫ Revoilà les poux !... ♪

CLIC !

Ça y est ! On a vu Sophie à la télé !

MENU

FIN

Scénario : Sophie Dieuaide, Jacqueline Cohen et Évelyne Reberg.

Par ici, Soussou !

À cause de ma jambe
... snif... je n'ai
pas pu acheter...
snif...

... le cadeau de mon Pupuce !!

Et c'est quoi, ce cadeau ?
Son oreille de Noël... à grignoter !
Hein ?!?

Une fausse, en plastique, je suppose !
Pas du tout !

Une vraie belle oreille de cochon séchée et au miel ! Il adore !
Smack !

Si seulement on pouvait m'aider !...
Bon... je fonce à Bébête Shop !

On t'accompagne, mamounette !
Il est trop bien, ce magasin !

Pas question ! Vous restez ici. Je vous connais...

Vous allez encore me réclamer n'importe quoi !
Mais non !
T'exagères !

On t'aidera !
On te trouvera l'oreille en 2 secondes !
Wouaf !

Quand je dis non, c'est **non** !!

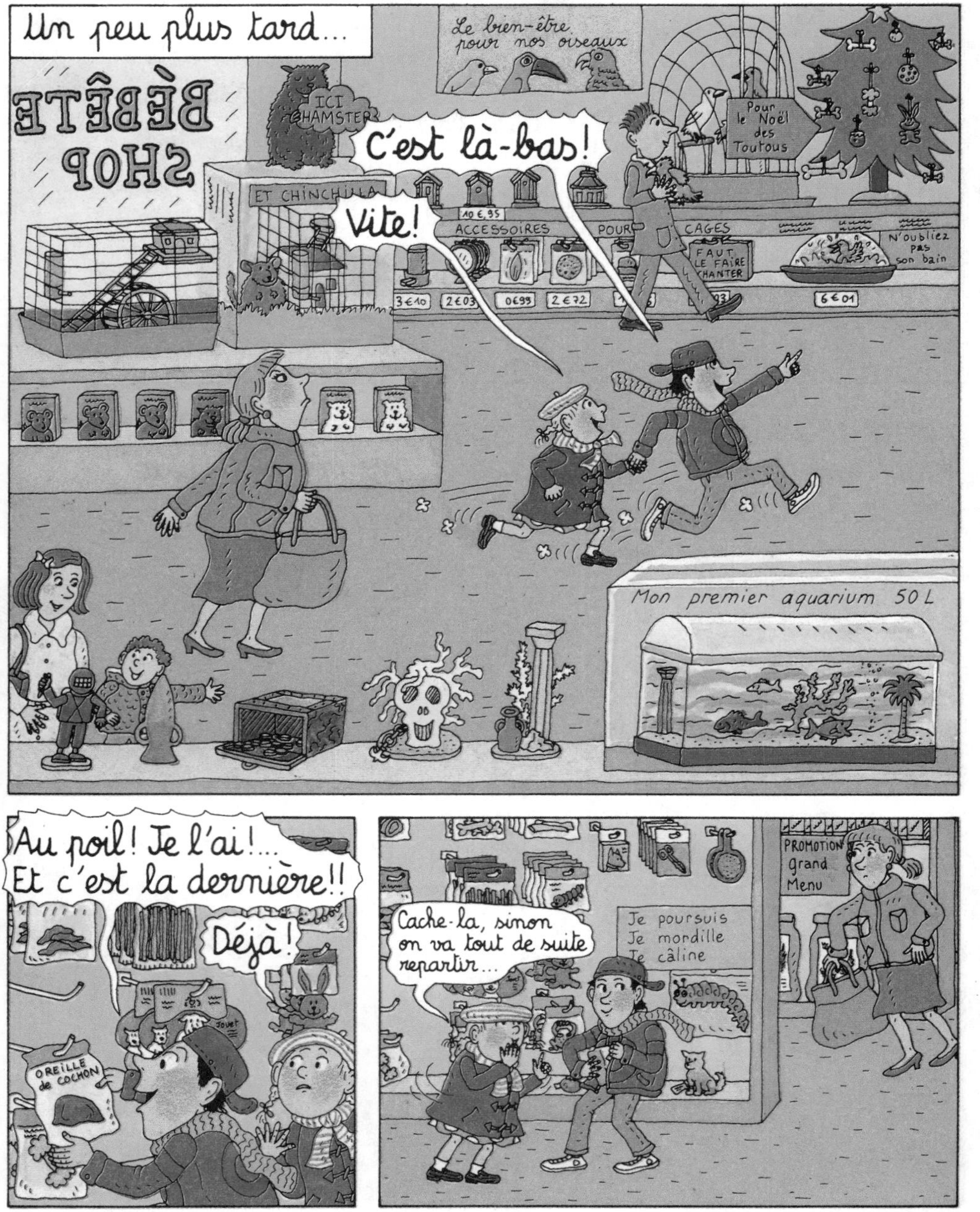

Un peu plus tard...

C'est là-bas !

Vite !

Il me faudrait un vendeur !

Inutile, mamounette !
On sait, nous, éplucher les rayons !
Je poursuis
Je mordille
Je câline

Tiens !? Une panse de bœuf !
Beurk !

Un coq déplumé !
Beurk de beurk !

Un steack saignant !
Arrête !

Pas le moindre bout d'oreille...

PROMOTION
Grand Menu
CHATS
TOUT POUR TOUTOU
On va fouiller partout ailleurs !

Une demi-heure après...
On a trouvé !!!
Ouf ! C'est pas malheureux !
Pour le Noël des Toutous
POUR
CAGES
N'oubliez pas

PROMOTION DE NOËL
10 souris pour le prix d'une !
Regarde, mamounette !
Pour notre Noël à nous...

Ah ça non ! Tous vos cadeaux sont achetés ! TOUS !!

Mais on a une surprise... !
Ton oreille !!

Ça mérite une récompense, non ?
Non !

Mamounette !! Une souris !
Une minuscule !

Même pas une souris...
Une demi-souris !

Pitié !
On en rêêêêve !!

Profitez-en ! C'est donné !
Personnel SERVICE
BÉBÊTE SHOP
Bon... d'accord pour une !
Suuuuper !

Et si on en prenait 10 ?

Toute seule, elle va s'ennuyer, notre Soussou...
Ça suffit ! Basta !!
CAISSE
BÉBÊTE SHOP

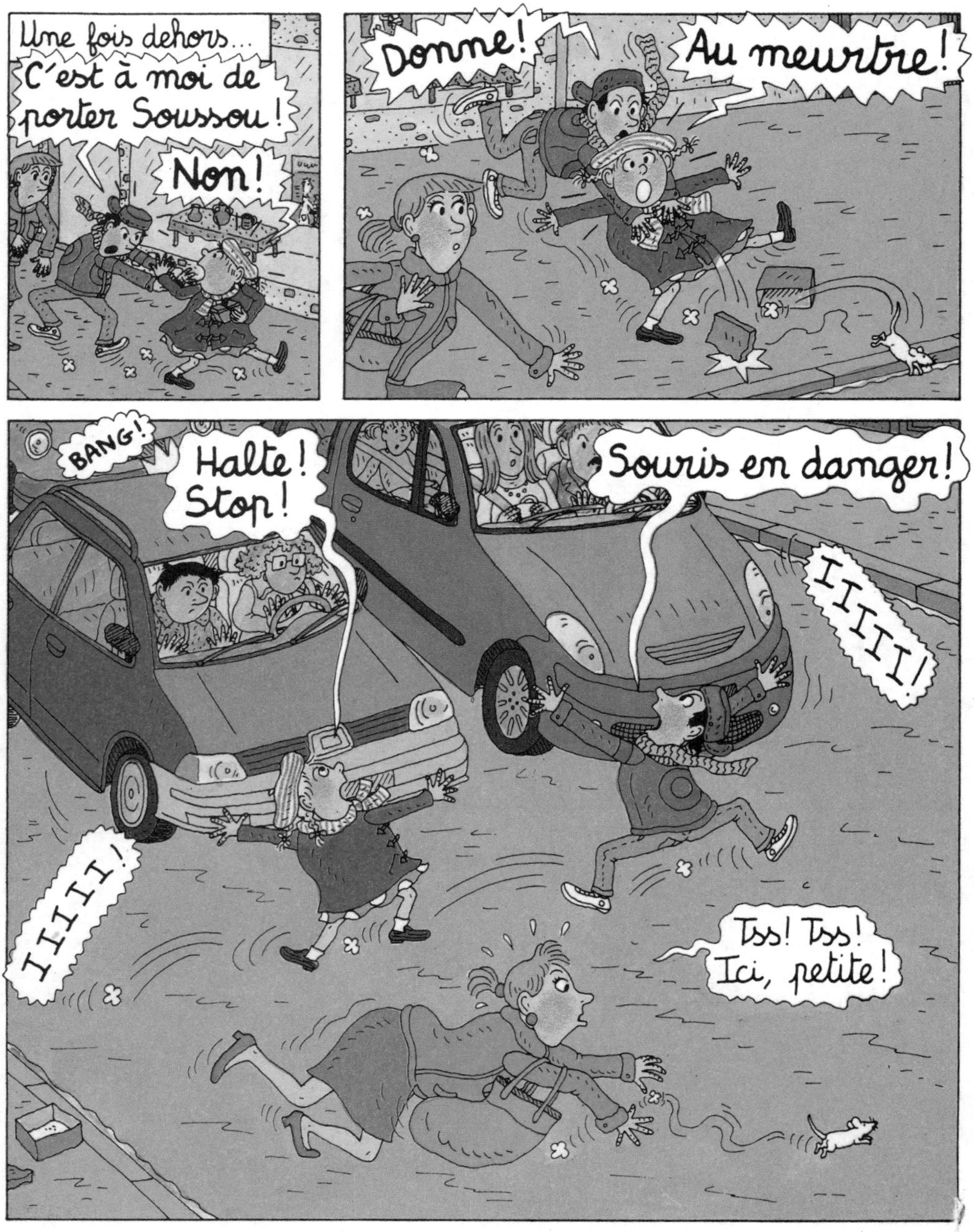

BANG !
Halte ! Stop !
Souris en danger !
IIIII !
IIIII !
Tss ! Tss ! Ici, petite !

Vous ne connaissez pas le code de la route ?!
Priorité aux animaux !!
TUUUT !
TUUUT !

Capturée, la Soussou !

Plus jamais je ne ferai les courses avec vous ! Plus jamais !

Et cette pauvre madame Kellmer qui attend !

Dites donc, vous avez mis des heures !

Tom-Tom et Nana : Subliiiimes !

Oh non !!

Au secours !!!

grr... Wouf !

N'empêche, notre Soussou, elle a guéri madame Kellmer !

FIN

Scénario : Jacqueline Cohen et Évelyne Reberg.

Vous parlez d'un cadeau !

Haut les mains !!

Qui a pris nos cartes Pomékon ?!

Moi ! Je les ai confisquées !

Tom-Tom et Nana : Subliiiiimes !

Des parents qui volent les jeux de leurs enfants ! On aura tout vu !
PAF !
BELLISSIMA

Sophie, elle a eu mille Pomékon pour Noël !
BELLISSIMA

Quelle veinarde, celle-là !

Super, le mauve à lèvres !

Elle pourrait nous en donner...

... En échange de ... euh ...

Alors, mon chou, comment tu me trouves ?
???

Au secours ! Hulk est revenu !

T'approche pas de moi, tu me fais peur !

Bonjour, le coffret-mocheté !
Ça va, j'ai compris !

Hé ... Ça me donne une idée !!!

5 minutes après...
Pourvu qu'elle accepte !
Suffit de savoir s'y prendre !

Coucou, Sophie !

On est tes deux papas Noël !
Voilà pour toi !
???

J'en ai déjà un, de coffret-beauté !

Oui, mais celui-là, il est...
Il est... euh...

Il est spécial pour les belles blondes...
... à lunettes !

Tom-Tom et Nana : Subliiiimes !

Tom-Tom et Nana : Subliiiimes !

Le plus dur, c'est la mise en plis !
Tire pas hein !
COLLE FORTE

Hé... Qu'est-ce que tu fais ?
Des boucles !
COLLE FORTE

Et pour que ça tienne, je mets du scotch !

T'es déjà trois fois plus belle comme ça !

Ferme les yeux ! Respire plus !
PCHiiiiii !

Ya plus qu'à déscotcher, et tu pourras top-modeler !
Viiiiite !

Alors la star, elle arrive ?
On piaffe !

Ouille ! Aïe ! Ayayayayaya-yaille !

Mes cheveu-eu-eu-eux !! Tout ar-ra-ra-chés !!
quelle horreur !

Je... je vous assure, il était certifié sans danger, mon coffret !

Sophie ?!?
Sniff !
Qu'est-ce qui se passe encore ?!
Ben... C'est mon coffret-beauté...

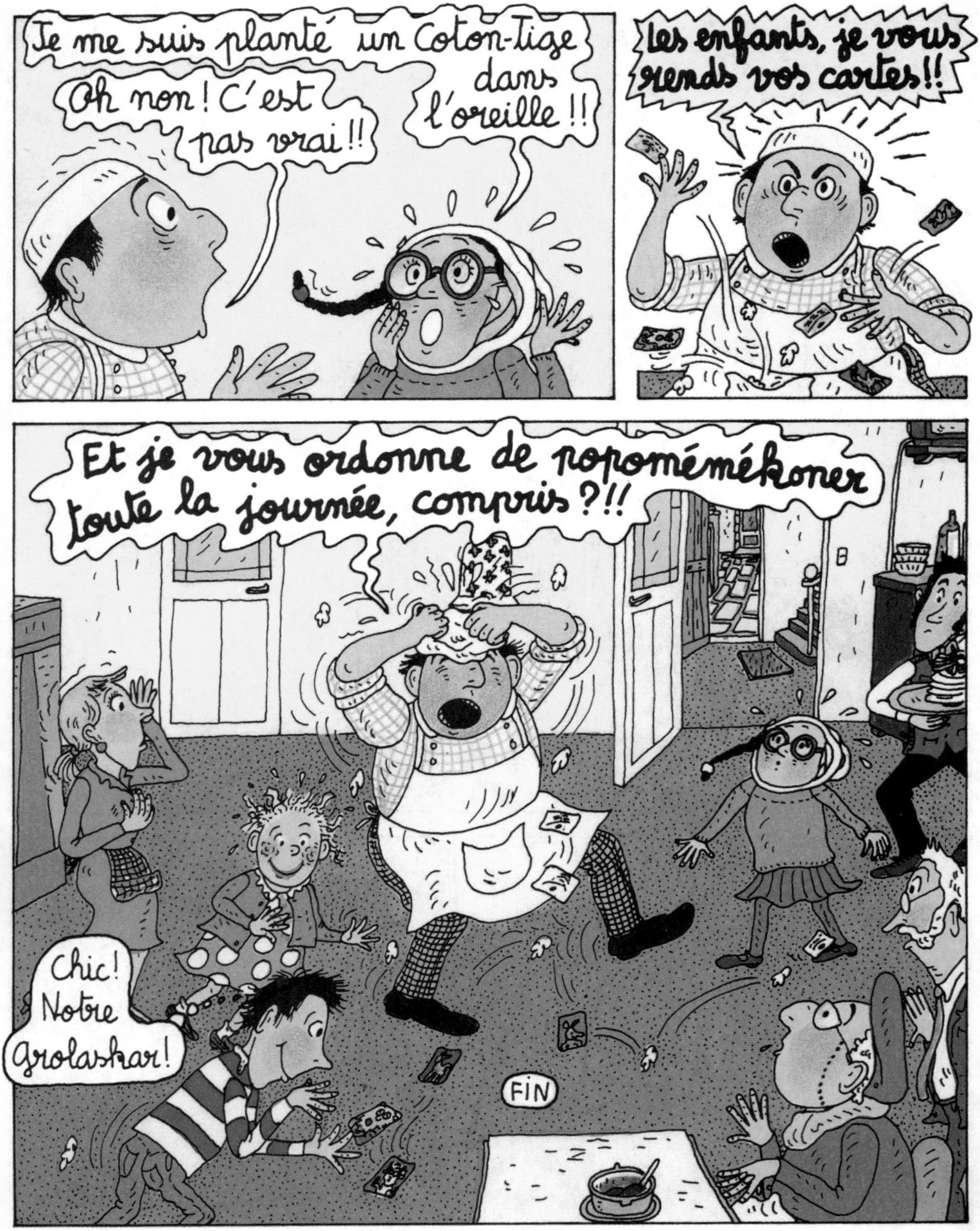

Scénario : Jacqueline Cohen et Évelyne Reberg.

Tom-Tom et Nana

T'es zinzin si t'en rates un !

☐ N° 1

☐ N° 2

☐ N° 3

☐ N° 4

☐ N° 5

☐ N° 6

☐ N° 7

☐ N° 8

☐ N° 9

☐ N° 10

☐ N° 11

☐ N° 12

☐ N° 13

☐ N° 14

☐ N° 15

☐ N° 16

☐ N° 17

☐ N° 18

☐ N° 19

☐ N° 20

☐ N° 21

☐ N° 22

☐ N° 23

☐ N° 24

☐ N° 25

☐ N° 26

☐ N° 27

☐ N° 28

☐ N° 29

☐ N° 30

☐ N° 31

☐ N° 32